위대한 유산

글 찰스 디킨스 | 그림 피피 스포지토 | 옮김 윤영

스푼북

핍,
죄수를 만나다

이 이야기의 주인공은 필립 피립이야. 다들
그를 핍이라고 불렀지. 핍은 엄마와 아빠에 대
한 기억이 전혀 없었어. 왜냐하면 핍이 너무 어
릴 때 돌아가셨거든.

조 부인

핍에게는 핍보다 스무 살 많은 누나가 있는데, 누나가 어린 핍을 데려다 키우게 되었어. 누나는 조 가저리와 결혼했어. 그는 곱슬거리는 금발과 파란 눈을 가진 강인하면서도 친절한 남자였지. 조는 바다와 멀지 않은 템스 강 하구 습지대 마을에서 대장장이 일을 하고

조 가저리

있었어.

조는 덩치가 크고 힘도 셌지만 자기 아내를 좀 무서워했어. 그건 핍도 마찬가지였지. 사람들에게 조 부인이라고 불리던 누나는 걸핏하면 핍이랑 조와 싸워댔거든. 그들을 말로 혼내기도 했고, 매를 휘두를 때도 있었어.

핍은 부모님이 기억나지 않았지만 종종 교
회 묘지에 가서 부모님의 묘를 바라보았단다.
핍은 크리스마스이브에도 그곳을 찾았어.

날은 점점 어두워지고 강에서 불어오는 바람
때문에 핍은 몸이 부들부들 떨렸어. 핍은 자기
자신이 너무 불쌍해서 눈물이 났지.

"거기 누가 시끄럽게 하는 거냐!"

소름 끼치는 목소리가 들려왔어.

묘지 사이에서 덩치가 엄청 큰 남자가 나타
났어. 그는 다 해어진 회색 옷을 입고 있었는
데, 온몸이 홀딱 젖은 채로 바들바들 떨고 있
었지. 무엇보다 신경 쓰이는 건 발목에 차고
있는 쇠사슬이었어.

"넌 이름이 뭐냐?"

"핍이에요."

"어디 살아?"

핍은 떨리는 손으로 멀리 떨어진
마을을 가리켰어.

"너희 부모님은 어디 있어?"
남자가 으르렁거리듯 물었어.

"여기요."

핍은 묘비를 턱으로 가리켰어.

"지금은 누나와 같이 살아요. 누나는 대장
장이 조 가저리와 결혼했고요."

"대장장이라고?"

남자는 자기 발목에 묶인 쇠사슬을 쳐다보
았어. 그러다가 커다란 손을 뻗어 핍의 두 뺨
을 꼬집었어.

"너에게 할 일이 생겼다, 꼬마야. 집에 가
서 내일 아침까지 먹을 것과 쇠 가는 줄을
챙겨 와라. 시키는 대로 하지 않으면 널
잡아먹어 버릴지도 몰라. 바로 이 통통
한 뺨부터."

핍은 겁에 질려 집으로 뛰어갔어. 누나는 미친 듯이 흥분해서는 소리를 질렀지. 누나는 발을 구르고 주먹을 휘두르면서 지금까지 뭘 하다 이제 나타났냐며 악을 썼어.

이후 차를 마시는 사이, 핍은 습지대에 있는 회색 옷을 입은 남자에게 갖다줄 빵 한 조각과 버터를 몰래 숨겼어. 그때 저 멀리 대포 터지는 소리가 들려왔어. 조는 강어귀*에 잠시 머무르고 있는 죄수선에서 나는 소리일 거라

*강어귀: 강물이 바다로 흘러가는 어귀.

생각했어. 죄수가 도망쳐서 대포를 쏘는 거라고 말이야.

핍은 그날 밤 좀처럼 잠을 이루지 못했어. 크리스마스 새벽이 되자마자 핍은 살금살금 계단을 내려와 식료품 저장실로 갔어. 그리고 치즈 약간, 술 한 병, 동그란 고기파이 하나를 챙겼지.

핍은 아침 안개를 헤치고 달려가 회색 옷의 남자를 찾았어. 남자는 먹을 걸 손에 쥐고 굶주린 개처럼 허겁지겁 집어삼켰어.

핍은 용기를 내어 이렇게 말했어.

"맛있게 먹어 주시니 좋네요."

남자는 핍의 말에 대꾸라도 하듯 목구멍에서 이상한 딸깍 소리를 냈어. 그러고는 핍이 조의 작업장에서 훔쳐 온 줄을 달라고 하더니, 정신없이 발목에 있는 쇠사슬을 갈기 시작했지. 핍이 떠나든 말든 신경도 쓰지 않고 쇠사슬 끊기에만 열중했단다.

조 부인은 크리스마스 저녁에 손님을 초대
했어. 그중엔 입이 물고기처럼 생긴 조의 삼촌
펌블축 씨도 있었지. 그를 비롯한 손님들은 핍
에게 누나가 키워 주는 걸 고맙게 생각하라며
잔소리했어.

문제는 여기서 그치지 않았어. 조 부인이 고기파이를 가지러 식료품 저장실로 갔거든. 고기파이는 이미 습지에 있던 남자가 거의 한 입에 다 먹어 치워 버렸는데, 이를 어떡해. 역시나 누나는 빈손으로 돌아와 흥분하기 시작했어.

핍은 그냥 자리를 뜨는 게 낫겠다 싶었지. 그래서 식탁에서 슬쩍 빠져나와 현관문으로 달려갔어. 그런데 현관으로 군인들이 들이닥

치는 거야.

　군인들 중 한 명은 수갑을 들고 있었어.

　다행히 그들은 고기파이 도둑을 찾고 있는
게 아니었어. 죄수선에서 도망친 죄수를 찾는
거였지.

모두들 도망자를 찾으러 다닐 생각에 신이 난 것 같았어. 유일하게 마음이 따뜻한 조만이 핍의 귀에 대고 죄수가 잡히지 않았으면 좋겠다고 속삭였어. 핍도 같은 생각이었지.

조와 핍은 마을 사람들, 그리고 군인들과 함께 죄수를 찾아 나섰어. 춥고 으스스한 밤이었기에 조는 강둑을 건널 때나 배수로를 지날 때마다 핍을 등에 업어 주었단다. 그 순간 갑자기 오른쪽에서 비명 소리가 들려왔어. 군인들 목소리는 아니었어. 모두들 소리가 나는 쪽으로 허겁지겁 달려갔어.

한 남자가 늪에서 허우적대고 있었어. 저러다 곧 빠져 죽을 것 같았지. 캄캄한 밤이라 잘 보이진 않았지만 핍은 그가 회색 옷의 남자라는 걸 알 수 있었어. 군인 세 명이 힘을 합쳐 그 남자를 늪에서 끄집어냈어.

　밖으로 나온 남자는 온몸이 진흙으로 범벅
이 되어 있어서 어디가 옷이고 어디가 흙인지
구분이 되지 않았지. 그는 고개를 들어 핍을
보더니 살짝 고개를 저었어. 핍은 자기가 군인
들을 데려온 게 아닌데 이 남자가 오해하는 것
같아 신경이 쓰였어.

"드디어 잡았군, 아벨 매그위치."

군인이 말했어.

"혹시나 엉뚱한 사람이 누명을 쓸까 봐 미리 말해 두고 싶은 게 있소. 대장장이 집에 들어가 줄과 고기파이를 훔친 사람은 바로 나요."

"잘하셨어요. 당신이 무슨 짓을 했는지는 몰라도 우린 당신이 굶어 죽게 내버려 두진 않았을 거예요."

조가 친절하게 말했어.

죄수는 아무 말도 하지 않았어. 대신 목구멍에서 이상한 딸깍 소리만 냈지. 남자는 누군가에게 이런 친절한 말을 듣는 게 처음인 것 같았어.

군인들은 남자를 데리고 갔어.

"조, 이제 저 사람은 어떻게 되는 걸까요?"

핍이 조용히 물었어.

"아마 죄수선으로 돌아가겠지. 그리고 호주
로 보내질 거야."

"호주요? 그게 어디 있는데요?"

"나도 잘 몰라, 핍. 아주아주 멀다고만 들었지."

조의 등에 업혀 집으로 돌아가던 핍은 그대로 잠이 들었어.

새티스 하우스

 픕은 앞으로 어떤 일을 하며 살아갈지 한 번
도 고민해 본 적이 없었어. 왜냐하면 이미 그
답을 알고 있었거든. 픕은 조와 같은 대장장이
가 될 계획이었어. 그래서 이미 예전부터 대장
간에서 조를 돕기 시작했지.

 그러던 어느 날 펌블축 씨에게 놀라운 소식
을 듣게 되었어. 한 돈 많은 부인이 픕을 만나
보고 싶어 한다는 거야. 근처 작은 도시에 사
는 그 부인의 이름은 해비셤으로, 큰 저택에서

같이 지낼 어린아이를 찾는다고 했어.

　누나인 조 부인은 잘됐다고 생각했어. 펌블축 씨도 놓칠 수 없는 기회라고 했지. 그 누구도 핍의 생각은 궁금해하지 않았어. 조 부인은 핍을 깨끗하게 씻기고 가장 좋은 옷으로 갈아입혔어. 그리고 펌블축 씨는 핍을 마차에 태워 해비셤 부인의 집까지 데려다주었지. 저택의 이름은 새티스 하우스, 좀 이상한 이름이었어. 철로 된 울타리 너머로 안마당이 보였어. 1층에 있는 창문들에도 모두 빗장이 걸려 있더군.

펌블축 씨는 대문에 있는 벨을 눌렀어. 잠시 후 어린 소녀가 열쇠 꾸러미를 들고 마당으로 걸어 나왔어. 소녀는 해비셤 부인이 펌블축 씨는 초대하지 않았다면서 핍만 들어오게 했어.

그 말을 들은 펌블축 씨의 입은 그 어느 때보다도 물고기 같아 보였지.

소녀는 자기를 따라오라는 말만 하고는 입을 꾹 다물었어. 소녀는 핍과 나이가 비슷해 보였어. 하지만 무척이나 아름답고 자신감이 넘쳐서 핍보다 훨씬 더 누나처럼 느껴졌지.

저택 안은 어두웠어. 소녀는 초를 하나 챙겨
들고 앞장섰지. 그리고 둘은 미로처럼 복잡한
복도를 구불구불 지나 문 앞에 섰어.

"들어가."

"먼저 들어가세요."

"됐어, 난 안 들어가니까."

핍은 반쯤 겁을 먹은 채로 노크를 하고 방으로 들어갔어. 널찍한 방이 촛불로 빛나고 있더군. 창에는 두꺼운 커튼이 쳐져 있었어. 안락의자에는 무척 특이한 부인이 앉아 있었단다. 온통 하얀 옷을 입은 부인은 흰머리 위로 흰 베일을 드리우고 있었어. 목과 손에는 보석이 반짝였지.

"펌블축이 보낸 아이니?"

"네, 부인. 제가 핍입니다."

"가까이 와 봐라."

부인이 말했어.

가까이 다가가서 보니 부인의 길고 하얀 드레스는 사실 낡아서 누르스름해진 상태였어.

"몇 살이지, 핍?"

"여덟 살입니다, 부인."

"내가 햇빛을 보지 않은 지도 8년쯤 됐단다."

핍은 무슨 말을 해야 할지 몰라 그냥 잠자코 있었지. 해비셤 부인은 '에스텔라'를 불러오라고 했어. 핍은 그게 누구인지도 모른 채로 방문을 열고 컴컴한 복도를 향해 "에스텔라!" 하고 외쳤어. 다행히 아까 그 아름다운 소녀가 초를 들고 나타났어.

해비셤 부인은 에스텔라와 핍이 카드 게임 하는 걸 보고 싶다고 했어. 두 사람은 핍이 유일하게 할 줄 아는 '카드 따기 게임'을 했고, 에스텔라가 몇 번이나 잇따라 핍을 이겼어. 에스텔라는 게임을 하는 내내 단 한 번도 웃질 않았어. 핍의 손이 지저분하다며 무례한 말만 던졌지.

마침내 해비셤 부인은 핍을 집으로 돌려보내며 며칠 후에 다시 오라고 했어. 에스텔라는 핍을 거의 대문 밖으로 내쫓듯 밀치더니 문을 굳게 잠가 버렸지. 핍은 집으로 갈 수 있어서 좋기도 했지만 또 슬프기도 했어. 누군가와 함께 노는 게 참 즐거웠거든.

집으로 돌아오자, 조 부인과 펌블축 씨는 핍에게 해비셤 부인과 새티스 하우스에 대한 질문을 쏟아 냈어. 핍은 부인이 키가 무척 컸으며 벨벳 소파에 앉아 있었다고 이야기를 지어냈지. 펌블축 씨가 고개를 끄덕이며 이야기를 듣는 걸 보아하니, 그는 한 번도 새티스 하우스에 들어가 본 적이 없는 게 분명했어.

핍은 조 앞에서 거짓말을 하자니 살짝 죄책감
이 들었어.

수상한 독지가[*]

그 후로 핍은 해비셤 부인의 집에 자주 갔어. 에스텔라를 보는 건 좋았지만, 솔직히 핍은 이 일이 그리 달갑지 않았어. 게다가 에스텔라는 늘 핍에게 무례하게 굴었어. 가끔은 그에게 "천하고 거칠어."라고 말하기도 했지.

핍은 해비셤 부인이 에스텔라를 입양했고, 아이들이 노는 모습을 지켜보는 걸 즐긴다는 걸 알게 되었어.

*독지가: 남을 돕는 자선 사업 등에 적극적으로 참여하여 지원하는 사람.

가끔 새티스 하우스에는 다른 손님들이 왔어. 해비셤 부인의 먼 친척들이었지. 하루는 키 크고 창백한 소년과 싸움이 붙었는데, 핍이 싸움에서 이겼어. 이 모습을 몰래 지켜본 에스텔라는 핍에게 입맞춤을 허락했어. 물론 이 이후로 다시는 이런 일이 일어나지 않았지. 싸움도, 입맞춤도……

핍의 방문은 몇 년 동안 이어졌어. 그러다 핍이 대장장이 일을 본격적으로 배워야 할 때가 되었어. 핍은 근처 작은 도시의 치안 판사가 보는 앞에서 합법적으로 수습생 자격을 얻었어. 이제 핍이 해비셤 부인의 집에서 에스텔라와 함께 노는 시간은 끝났다는 뜻이었지.

에스텔라는 런던으로 가서 교양 있는 숙녀가 되었어. 반면 핍은 시골에 남아서 조와 같은 대장장이가 되었지. 한때 핍은 조처럼 능숙한 일꾼이 되는 것보다 좋은 일은 없을 거라고 생각했어. 하지만 저택에 자주 드나들다 보니 뭔가 더 대단한 일이 있지 않을까 생각하게 되었어. 그렇다고 해서 이제 와서 핍에게 다른

선택지는 있을 수 없었어. 핍이 대장장이 말고
뭐가 될 수 있겠어?

이제 핍의 눈앞에는 뜨거운 대장간 안에서 땀을 뻘뻘 흘리며 일하는 삶만이 펼쳐져 있었단다. 집으로 돌아가도 할 일이 잔뜩이었어. 조 부인이 심하게 다쳐서 일을 하지 못했거든. 이제 성질도 다 죽고 조용해진 조 부인은 몸도 제대로 가누지 못한 채 구석에 앉아 있기만 했어. 더 이상 날뛰는 모습은 볼 수 없었지. 대신 비디라는 시골 출신 소녀가 핍을 도와주었고, 조가 조 부인을 돌봤어.

그러던 어느 날, 모든 걸 다 바꿔 놓을 사건이 벌어졌단다.

당시 핍에게는 '쓰리 졸리 바지멘(세 명의 즐거운 선원들)'이라는 선술집*에 가는 습관이 있었어.

---

*선술집: 선 채로 간단하게 술을 마실 수 있는 술집.

토요일 밤, 핍이 조와 함께 사람들과 놀고 있
는데, 낯선 남자가 들어왔어. 그는 자리에 앉
아서 손가락을 질근질근 씹으며 핍 주변을 계
속 관찰했지. 그러다 불쑥 이렇게 말했어.

"여기에 조 가저리라는 이름의 대장장이가 있다던데요."

"저입니다만."

조가 말했어.

"핍이라는 수습생도 있다지요?"

"제가 핍인데요."

그 남자는 핍을 알아보지 못했지만, 핍은 그가 기억났어. 아주 오래전 해비셤 부인의 집 계단에서 마주친 적이 있었거든. 그는 머리가 크고 눈썹이 짙었어. 핍은 그가 해비셤 부인의 친척 중 한 명일 거라고 생각했지.

하지만 아니었어. 그는 사실 런던에서 온 변호사였던 거야. 재거라는 이름의 변호사는 조와 핍에게 따로 이야기를 나누고 싶다고 했어. 조용히 이야기를 나누기에 가장 좋은 곳은 조의 집 응접실이었지. 조 부인이 다친 후로는 좀처럼 쓸 일이 없었으니까 말이야.

재거 씨는 응접실 탁자 앞에 앉아 이렇게 말했어.

"핍 군, 자네에게 독지가가 있어. 무슨 말인지 알겠나?"

조와 핍의 멍한 얼굴을 보아하니 무슨 말인

지 모르는 게 분명했어.

재거 씨는 낮은 목소리로 설명했어.

"독지가란 자네를 위해 좋은 일을 하고 싶어 하는 사람이야. 다른 말로 하면 그 사람에게는 돈이 있다는 거지. 그 독지가가 어마어마한 유산을 물려줄 생각이야. 그래서 자네를 런던으로 부르려고 하네."

"뭐라고요? 제가 런던에 가서 뭘 해요?"

핍은 깜짝 놀랐어.

"신사가 되는 법을 배우겠지. 원래 신사는 딱히 무언가를 하지 않아."

"그 친절한 독지가가 누군데요?"

일단 질문을 하긴 했지만, 핍에게는 떠오르는 사람이 있었어. 그 사람은 해비셤 부인이 분명했어. 부인은 핍을 신사로 만들어 에스텔라와 결혼시킬 생각인 거야!

"그건 말할 수 없다네. 자네의 독지가는 당분간 자신의 정체를 밝히고 싶지 않다는군. 아무에게도 알리고 싶지 않은가 봐."

이외에도 듣고 놀랄 만한 이야기들이 한참 남아 있었어. 그러는 와중에 조는 거의 한마디도 하지 못했지.

런던으로

일주일도 안 돼 핍은 조와 조 부인, 비디, 펌블축 씨에게 작별 인사를 했어. 신사가 되기 위한 여정을 시작하게 된 거야. 이제 다른 사람들도 핍을 다르게 대해 주었어. 완전히 새로운

사람이 된 듯한 기분이었지.

그날 아침, 핍은 작은 여행 가방을 챙겨서 홀로 런던으로 향하는 기차에 올라탔어.

런던에서 가장 먼저 방문한 곳은 변호사 재거 씨의 사무실이었어. 재거 씨가 핍의 후견인 역할을 했거든. 핍의 독지가가 모습을 드러낼 때까지는 재거 씨가 핍에게 매달 생활비를 주기로 했어.

"어서 오게나, 핍. 런던은 어떤 것 같나?"

재거 씨가 물었어.

"무척 크네요. 그리고…… 기대했던 것보다 더 바쁘고, 더 지저분하네요."

 핍은 무례해 보일까 봐 대답을 망설였지만 재거 씨는 가볍게 웃어넘겼어. 그는 핍에게 앞으로 허버트 포켓이라는 젊은 신사와 함께 지내게 될 거라고 했어. 그리고 허버트의 아버지, 매튜 포켓에게 교양과 예의를 배우게 될 거라고 했지. 두 사람은 모두 해비셤 부인의 먼 친척이라고 했어.

 허버트와 핍이 만나는 순간 두 사람은 깜짝 놀라 서로를 쳐다보았어. 허버트는 바로 해비셤 부인의 집에서 핍과 싸웠던 키 크고 창백한 소년이었던 거야. 하지만 허버트는 핍에게

나쁜 감정을 품고 있진 않았어. 오히려 매우
친절했지.

허버트는 해비셤 부인이 집 안에서만 지낸 이유, 늘 똑같은 흰 드레스를 입었던 이유를 설명해 주었어. 오래전 해비셤 부인은 한 남자와 결혼을 약속했대. 그런데 결혼식 날 아침, 남자가 결혼을 취소하겠다는 편지를 보내온 거야.

"부인의 방에 있던 시계 기억나?"

허버트가 물었어.

"응, 8시 40분에 멈춰 있었어."

"그때가 바로 부인이 편지를 받았던 시각이야. 모든 게 그 순간에 멈춰 버린 거지. 부인이 입고 있는 옷 역시 그날 입었던 웨딩드레스이고."

허버트는 해비셤 부인이 에스텔라를 쌀쌀맞은 아이로 키웠다고 했어. 특히 남자들을 매정하게 대하라고 했대. 에스텔라는 해비셤 부인이 당한 것처럼, 남자의 마음을 아프게 만들도록 훈련받은 거야.

어느 날 조가 핍이 사는 곳을 찾아왔어. 핍은 허버트를 아주 품위 있는 사람이라고 소개했지. 하지만 핍은 조의 모습이 좀 창피했어. 가진 옷 중에 가장 좋은 옷을 입고 왔겠지만 행색이 초라했거든. 그리고 조마저도 핍의 이름을 그냥 부르는 대신 '경'이라는 존칭을 썼어.

핍은 종종 에스텔라도 만났어. 아름다운 숙녀로 자란 에스텔라는 더 이상 핍에게 무례하게 굴지 않았어. 둘은 거의 친구처럼 지냈지만, 에스텔라는 쉽게 웃음을 보이지 않았지.

핍은 여태 자신의 독지가가 해비셤 부인이라고 믿었어. 그런데 이상했지. 만약 자기를 신사로 만들려는 게 부인이라면 왜 에스텔라는 그대로일까? 왜 계속 자기 마음을 아프게 하는 걸까? 적어도 핍에게는 상처를 주지 않아야 하는 것 아닐까?

핍은 예전에 살던 마을에 몇 번 찾아갔어. 그 사이 누나의 장례식도 있었거든. 하지만 핍은 더 이상 그곳에 속해 있다는 느낌을 받지 못했어. 이제 자기는 런던의 신사였으니까.

그 후로 몇 년 동안 핍은 런던에 살면서 옷 잘 입는 법, 매너 있게 행동하는 법, 프랑스어 하는 법, 승마하는 법 등을 배웠어. 신사라면 알아야 할 것들이었지.

그는 종종 필요 이상으로 많은 돈을 썼어. 용돈을 주는 재거 씨가 잘근잘근 씹던 손가락을 흔들며 과소비를 멈추라고 말할 정도였지. 그러면 핍은 독지가의 정체는 언제쯤 밝혀지는지 묻곤 했어. 그는 독지가의 정체가 해비셤 부인일 거라고 철석같이 믿고 있었거든.

"때가 되면 알게 될 걸세."

재거 씨는 이렇게만 대답했어.

그리고 드디어 그때가 온 거야.

놀라운
방문객

폭풍우 치는 어두운 밤이었어. 핍과 함께 사는 허버트는 집을 비우고 없었단다. 그들의 집은 강 근처 낡은 건물 꼭대기 층이었어. 거센 바람에 창문이 무섭게 흔들렸지. 벽난로 연기가 굴뚝으로 빠져나가지 못하고 다시 집 안으로 들어올 정도로 날씨가 좋지 않았어.

그 순간 갑자기 계단에서 비틀거리는 발소리가 들리는 거야. 핍은 램프를 들고 층계참으로 내려가 보았어. 계단에 불이 다 꺼져 있었거든.

"어느 층을 찾아오신 거죠?"

핍이 물었어.

"꼭대기요."

낮은 목소리가 대답했어. 계단을 올라오는

남자는 낡은 코트를 걸치고 있었어. 모자 밑으

로는 긴 은색 머리가 보였지.

"무슨 일이신데요?"

"자네, 핍을 찾아왔네."

램프 불빛에 비친 그의 얼굴은 핍을 보며 반갑게 웃고 있었어. 정작 핍은 그가 누군지도 모르는데 말이야.

집으로 들어온 남자는 코트를
벗고 벽난로 앞에 섰어. 불을 쬐
려고 커다랗고 투박한 손을 내
미는 모습을 보자 핍은 생각
나는 사람이 있었어.

남자도 핍의 표정을 읽은 모양이었지.

"그래, 바로 나야! 아벨 매그위치. 죄수선에 탔던 사람이지. 자네가 어릴 때 먹을 것과 쇠사슬을 끊을 수 있는 줄을 가져다주며 늪지대에 있던 날 도와주지 않았나."

핍은 너무 놀라 뒷걸음질을 쳤어.

"호주로 끌려간 거 아니었어요?"

핍은 제대로 말도 못 했어.

당시엔 많은 죄수들이 배를 타고 지구 반대편 호주로 끌려가 그곳에 있는 감옥에 갇혔어.

그들은 감옥에서 나오고 나서도 절대 다시 영국으로 돌아올 수 없었지.

매그위치는 호주에 있는 감옥에서 나온 뒤 열심히 양 목장 일을 해서 많은 돈을 벌었다고 했어. 정말 많은 돈을.

"난 다시 런던에 왔다가 잡히면 끝장이라는 걸 알고 있어. 하지만 그때 그 소년이 얼마나 멋진 신사가 되었는지 볼 수만 있다면 그만한 가치가 있을 거라 생각했지. 봐, 자네는 나보다 더 멋진 옷을 입고 있지 않나. 손가락에 끼고 있는 건 금반지인가?"

핍은 고개를 끄덕였어. 지금 이게 무슨 일인
가 싶어 어안이 벙벙했지.

"자네의 옷과 반지를 누가 사 준 거겠나?"

"당신이었군요. 당신이 제 독지가였어요."

핍이 소리쳤어.

"사실 독지가라는 말은 변호사인 재거나 쓰는 말이지. 난 내가 자네의 친구라고 생각하네. 두 번째 아버지라고 해도 좋겠군. 자네가 나를 도와주었기에 나도 자네를 돕고 있는 거야."

그날 밤 매그위치는 허버트의 방에서 잠을 잤어. 하지만 핍은 도통 잠이 오지 않았지. 거친 비바람 때문에 시끄럽기도 했거든.

그는 누워서 계속 생각했어. 어쩜 그렇게 바보같이 몰랐던 걸까?

해비셤 부인은 핍의 독지가가 아니었어. 재거 씨는 부인의 변호사이기도 했지만 매그위치의 변호사이기도 했던 거야.

결국 해비셤 부인은 핍과 에스텔라의 결혼을 원한 적이 없었어. 모두 핍의 착각이었지. 게다가 핍이 신사로서의 새 삶을 누릴 수 있었던 건 모두 범죄자에게서 온 돈 덕분이었어. 핍은 너무 부끄러웠어.

하지만 매그위치는 런던에서 붙잡히면 인생이 끝날 수도 있는데 직접 핍을 보러 왔어. 오로지 핍을 보기 위해 자신의 자유뿐만 아니라 목숨까지 건 거야.

　매그위치에게 빚을 진 핍은 그가 안전한 곳
으로 갈 수 있도록 돕기로 했어. 붙잡히기 전
에 얼른 영국을 벗어나도록 말이야.

　핍은 다음 날 돌아온 허버트에게 모든 비밀
을 털어놓았어. 허버트는 좋은 친구였기에 함
께 힘을 합쳐 매그위치의 탈출을 돕기로 했
지. 시간이 없었어. 매그위치는 이미 런던으로

돌아온 순간부터 자신의 존재가 탄로 났을 수
도 있다고 믿고 있었거든.

지금 할 수 있는 유일한 방법은 어느 먼 곳으
로 출발하는 증기선에 매그위치를 태우는 것
이었어. 하지만 매그위치는 런던에서 배를 타
는 것 자체가 위험하다고 생각했어. 그래서 결
국 그들은 템스강 하구 외딴곳까지 노를 저어

가서 도중에 증기선을 탈 계획을 세웠어. 밤새 강 하구에서 기다리다가 네덜란드나 독일로 가는 배를 타기로 한 거지.

그런데 탈출 계획을 세우는 사이 비극적인 일이 일어났어. 새티스 하우스가 화재로 잿더미가 되고, 해비셤 부인도 세상을 떠나고 만 거야.

핍이 에스텔라와 처음 사랑에 빠졌던 장소가 사라져 버렸어. 에스텔라가 다시 그곳으로 돌아올지도 모른다는 희망까지 없어졌지. 하지만 핍에게는 안타까워할 시간이 없었어. 허버트와 힘을 합쳐 아벨 매그위치를 영국 밖으로 안전하게 안내해야 했으니까.

매그위치의
탈출

　탈출 첫 단계인 배에 탈 때부
터 매그위치는 무척 느긋했어. 허
버트와 핍이 열심히 노를 저었지
만 그는 유람선이라도 탄 듯 배

끄트머리에 앉아 여유롭게 파이프 담배를 피우더군.

픕은 더 이상 매그위치가 무섭지도 않았고, 둘 사이의 관계 때문에 부끄럽지도 않았어. 아벨 매그위치가 자신에게 좋은 일을 했으니 자기도 매그위치의 은혜를 갚는다는 마음이었지.

해가 지자 그들은 '더쉽'이라는 이름의 간판을 내걸고 있는 지저분한 술집에서 밤을 지새웠어. 그리고 맑고 화창한 다음 날이 밝았어. 세 사람은 작은 만에서 증기선이 나타나기를 기다렸어. 배에서 뿜어져 나오는 하얀 증기가 언제쯤 보일까 마음 졸이면서 말이야.

　　드디어 배가 나타났어! 허버트와 핍은 온
힘을 다해 강으로 배를 몰았어. 그들은 커다
란 증기선을 향해 열심히 노를 저었지. 증기선

옆에는 '함부르크'라고 적혀 있었어. 바로 이 배가 아벨 매그위치를 독일로 데려다줄 거야.

그런데 핍의 배가 강 한가운데쯤 이르렀을 때, 경찰들로 가득 찬 배가 나타났어. 강둑에 숨어 있던 경찰선이 핍이 있는 쪽을 향해 노를 저어 오는 거야. 게다가 경찰들의 배는

훨씬 빨랐어.

　핍은 멈추지 않고 미친 듯이 노를 저었고, 경찰선이 그 뒤를 바짝 쫓아왔지. 세 사람이 증기선에 거의 다다랐을 때 경찰은 배 앞머리로 핍의 배를 들이받았어. 배 끄트머리에 웅크리고 있던 매그위치가 배 밖으로 튕겨 나갔어.

핍은 그가 증기선의 노에 부딪힐까 봐, 그래서 물속으로 휘말려 들어갈까 봐 겁이 났어. 그러다 잠시 후, 실제로 증기선에서 쿵 하는 소리가 들리고, 얼마 안 가 매그위치가 물 위로 떠올랐어.

경찰은 매그위치를 끌어 올렸어. 다행히 숨이 붙어 있었지. 그런데도 경찰은 매그위치의 손목에 수갑을 채우더군.

핍은 경찰선에 타는 걸 허락받았어. 대신 타고 왔던 배는 허버트 혼자 해변으로 몰았지.

아벨 매그위치는 말도 제대로 하지 못했어.

"이제 날 보내다오."

그의 목소리는 너무 작아서 핍이 몸을 숙여야만 겨우 들을 수 있었어.

"안 돼요. 이대로 보낼 순 없어요. 매그위치 씨가 제게 했던 것만큼 저도 최선을 다할 거예요."

그때 매그위치의 목구멍에서 딸깍 이상한 소리가 났어. 핍은 오래전 그 소리를 들었던 기억이 떠올랐지.

핍, 새티스 하우스에
돌아오다

결국 아벨 매그위치는 교도소 병원에서 숨을 거뒀고 핍은 끝까지 그와 함께 있었어.

매그위치는 핍을 신사로 만들겠다는 자신의 계획이 이렇게 실패로 돌아갈 줄 몰랐을 거야. 호주를 벗어나면 안 된다는 법을 어기는 바람에 매그위치가 가진 돈은 모두 빼앗기고 말았어. 핍 역시 아무것도 가진 게 없었지. 하지만 아벨 매그위치 덕분에 핍은 마음가짐이 달라졌어. 어쩌면 더 좋은 쪽으로 변했을지도 몰라.

핍은 원래 나고 자랐던 시골로 돌아갔어.

조와 비디가 결혼해서 같이 사는 모습을 보니 반갑더군.

핍은 새티스 하우스로 가 보았어. 화재 때문에 폐허가 된 저택은 다 무너진 벽과 시커멓게 변해 버린 바닥만 덩그러니 남아 있었지.

그때 핍처럼 폐허를 이리저리 돌아다니는 사람이 있었어. 그 사람은 바로 여전히 우아하고

키가 큰 에스텔라였단다. 핍은 에스텔라가 감정 없이 차가운 사람인 줄만 알았어. 하지만 이제 보니 슬픔도 느낄 줄 알았던 거야.

핍은 에스텔라를 쫓아 해비셤 부인의 불타
버린 집으로 들어갔어.

"에스텔라."

"핍? 당신이에요?"

"네, 나예요."

"반가워요, 핍."

날이 점점 어두워지고 있었지만 에스텔라의
얼굴은 환하게 밝아졌어.

에스텔라가 드디어 미소를 지은 거야.

찰스 디킨스

1812년 영국 포츠머스에서 태어났어요. 찰스 디킨스는 소설 속 등장인물들처럼 가난했고 힘든 어린 시절을 보냈어요. 하지만 어른이 된 그는 자신이 쓴 책으로 전 세계에 알려졌고, 그 시대 가장 중요한 작가 중 한 명으로 기억되고 있답니다.

피피 스포지토 그림

부에노스아이레스에서 태어났으며 늘 그림을 그려 왔어요. 어린 시절엔 공작용 점토로 인물 만들기도 즐겼고, 좀 더 커서는 유머 잡지를 디자인하기 시작했지요. 수많은 실험적 작가들의 원화에 둘러싸여 지내며, 호기심을 갖고 다양한 스타일의 그림을 그렸답니다. 그린 책으로 《크리스마스 캐럴》, 《두 도시 이야기》, 《위대한 유산》, 《올리버 트위스트》 등이 있습니다.

윤영 옮김

서울대학교 미학과를 졸업하고 같은 대학원에서 고고미술사학과를 수료했습니다. 현재는 번역 에이전시 엔터스코리아에서 번역가로 활동 중입니다. 옮긴 책으로는 〈암호 클럽〉 시리즈, 〈복면공주〉 시리즈 등이 있습니다.

위대한 유산

초판 1쇄 발행 2023년 6월 27일

글 찰스 디킨스 | 그림 피피 스포지토 | 옮김 윤영

ISBN 979-11-6581-423-6 (74840)
ISBN 979-11-6581-418-2 (세트)

* 잘못 만들어진 책은 구입하신 곳에서 바꾸어 드립니다.

발행처 주식회사 스푼북 | **발행인** 박상희 | **총괄** 김남원
편집 김선영·박선정·김선혜·권새미 | **디자인** 조혜진·김광휘 | **마케팅** 손준연·이성호·구혜지
출판신고 2016년 11월 15일 제2017-000267호
주소 (03993) 서울시 마포구 월드컵북로 6길 88-7 ky21빌딩 2층
전화 02-6357-0050(편집) 02-6357-0051(마케팅)
팩스 02-6357-0052 | 전자우편 book@spoonbook.co.kr

제품명 위대한 유산
제조자명 주식회사 스푼북 | **제조국명** 대한민국 | **전화번호** 02-6357-0050
주소 (03993) 서울시 마포구 월드컵북로6길 88-7 ky21빌딩 2층
제조년월 2023년 6월 27일 | **사용연령** 8세 이상
※ KC마크는 이 제품이 공통안전기준에 적합하였음을 의미합니다.

⚠ 주 의

아이들이 모서리에 다치지
않게 주의하세요.